O dia louco do Pai Natal

Autora: Dominique Curtiss
Ilustrador: Martin Sombsthay
Tradutora: Maria Gama

ISBN : 978-2-89687-445-3
Depósito legal: 4º trimestre 2013
Bibliothèque et Archives nationales du Québec
Library and Archives Canada

Coruja das neves em Inuktitut

Urso polar em Inuktitut

Marmota em Inuktitut

Caribu em Inuktitut

O dia louco do Pai Natal

Dominique Curtiss e Martin Sombsthay

É inverno. A noite envolve o vale branco do
Grande Norte onde está uma pequena casa em madeira.
As estrelas cintilam, a lua redonda e brilhante ilumina a casinha.
Apenas o fumo que sai pela chaminé dança no céu polar.

Empoleirada nas costas de uma cadeira, Ukpikl a coruja das neves,
dorme pacificamente quando um raio de luar entra pela janela.
Ukpik abre um olho e depois o outro e com um bocejo abre o bico
e pia um "Huu! Huu!" que faz o Pai Natal saltar da cama.

– Ho! Ho!... Pelas minhas barbas, o que é que se passa?
exclama o Pai Natal.

– Está na hora de se levantar, Pai Natal, – responde Ukpik,
– o dia vai ser longo.

O velhote veste o seu manto vermelho e instala-se na sua cadeira
de baloiço junto à lareira. Siksikl, a marmota, leva-lhe um pincel, uma lata de verniz
e a caravela em madeira de ácer que um rapazinho lhe tinha pedido.

– Bem, Siksik estás com um ar um pouco sonolento esta manhã
– diz o Pai Natal sorrindo.

Siksik de olhos semicerrados responde-lhe:
– Sou uma marmota, Pai Natal, e preciso de uma boa noite
de sono para estar em plena forma.

– Hi! Hi! – ri a coruja-das-torres de regresso do seu grande passeio noturno.
– A noite dura seis meses o que quer dizer que vamos ter
de suportar o teu olhar de carneiro mal morto durante todo o inverno.

Todos riem às gargalhadas.

– Ho! Ho! Todos ao trabalho!
-- ordena o Pai Natal e coloca a caravela acabada de envernizar ao lado da lareira

A coruja-das-torres coloca sobre o banco as últimas cartas para o Pai Natal e sai a voar pela pequena portinhola da porta de entrada. O velhote abre o primeiro envelope e lê a carta:

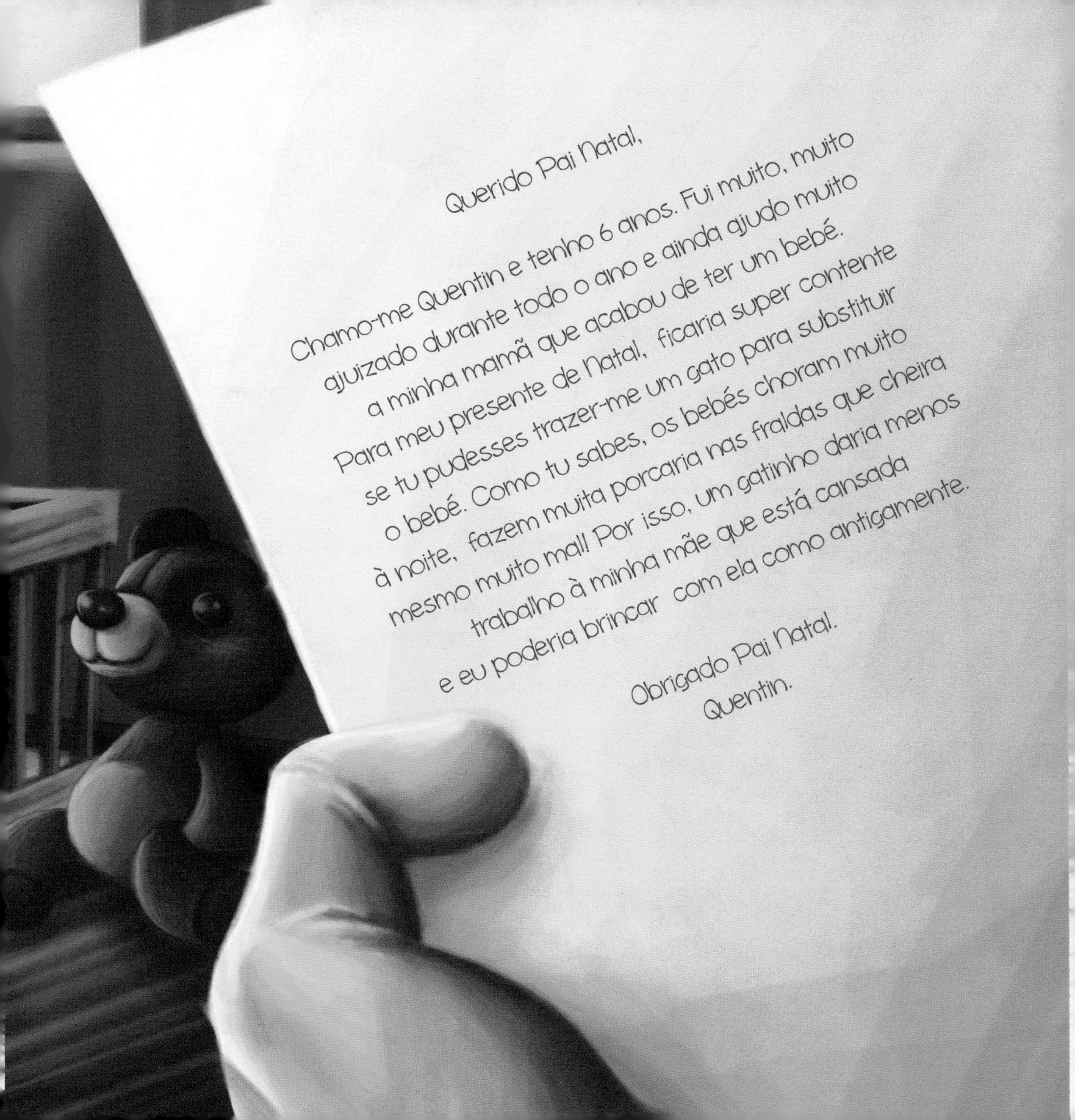

Querido Pai Natal,

Chamo-me Quentin e tenho 6 anos. Fui muito, muito
ajuizado durante todo o ano e ainda ajudo muito
a minha mamã que acabou de ter um bebé.
Para meu presente de Natal, ficaria super contente
se tu pudesses trazer-me um gato para substituir
o bebé. Como tu sabes, os bebés choram muito
à noite, fazem muita porcaria nas fraldas que cheira
mesmo muito mal! Por isso, um gatinho daria menos
trabalho à minha mãe que está cansada
e eu poderia brincar com ela como antigamente.

Obrigado Pai Natal.
Quentin.

– Ho… Ho… Um gatinho? Ora vejamos… Nanuq vai buscar
o gato musical à reserva de brinquedos e coloca-o no trenó.
"Pequeno Quentin poderás adormecer o bebé com música"
pensa o Pai Natal muito contente com a sua ideia.

Nanuq, o urso polar abre os olhos e, em seguida, levanta-se lentamente e num passo
preguiçoso e pesado entra na reserva de brinquedos do pai Natal.
Nanuq agarra no gato de peluche pelo botão em forma de focinho
e desencadeia uma música alegre:

Viva o vento, viva o vento Viva o vento de inverno
Que se vai assobiando, soprando Pelos grandes pinheiros verdes...
Oh! Viva o tempo, viva o tempoViva o tempo de inverno
Bola de neve e primeiro dia do anoE bom ano avó...

— Pelas minhas penas! — pia Ukpik irritada,
— não é altura para brincadeiras Nanuq!

— Não estou a brincar! — responde o grande urso
aborrecido e sai da casinha batendo com a porta.

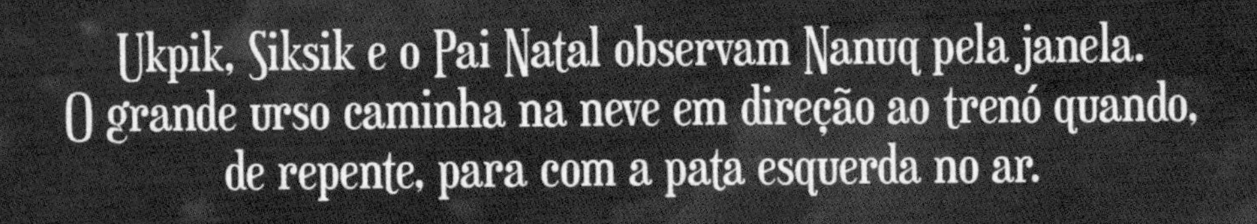

Ukpik, Siksik e o Pai Natal observam Nanuq pela janela.
O grande urso caminha na neve em direção ao trenó quando,
de repente, para com a pata esquerda no ar.

— O que é que lhe aconteceu desta vez? — pergunta
a Coruja das neves muito irritada com as brincadeiras de Nanuq.

— O frio paralisou-o! — diz Siksik tremendamente surpreendido.

— Ho! Ho! — ri o Pai Natal, — tenho a impressão
que o Nanuq adormeceu em pé!

Todos rebentam a rir e fazem troça do pobre Nanuq
vítima do síndroma da hibernação.

—Nanuk, acorda! — ralha Ukpik,
— não está na hora de dormir!

O velhote sentado na sua cadeira
de balanço lê a última carta:

Pequeno Pai Natal,

Quando vieres do céu com mil brinquedos,
gostaria muito que colocasses na minha túnica,
porque eu não tenho sapatos, o mais belo milagre
para a minha aldeia, porque é muito quente e muito seca.
A única coisa que cresce são os imbondeiros.
Quando desceres do céu, vai ser preciso
despires-te um pouco, porque aqui está muito calor.
Deixei para ti uma jarra de sumo do fruto
do imbondeiro para quando tiveres sede.

Obrigado pequeno Pai Natal.

Babacar.

— Um milagre? — pergunta Siksik, mas nós não temos
milagres no armazém!

— Oh ! Oh !...
É a primeira vez que um menino me faz um pedido como este.
O velhote enrola o seu dedo na sua barba comprida e reflete.

— Eu cá tenho a minha ideia! — diz ele de repente com entusiasmo e vivacidade.

— E que ideia é essa? — pergunta Ukpik curioso.

— Vocês hão de ver, meus amigos.
— responde ele misterioso.

Ukpik, Siksik e Nanuq olham uns para os outros espantados, mas intrigados.

— Todos os brinquedos foram carregados no trenó, Nanuq?

— Sim, está tudo pronto para a grande viagem!

O Pai Natal veste o seu casaco vermelho, o seu barrete vermelho e branco
e calça as suas botas forradas e em seguida atrela Tuktu, o chefe dos caribus
e os seus parceiros. O velhote gordo senta-se confortavelmente
no trenó e segurando nas rédeas, exclama:

— Até breve meus amigos! Vá, Tuktu a galope!
Temos muitos brinquedos para entregar esta noite.

Tuktu e os seus companheiros galopam na neve gelada e em seguida
levantam voo rumo ao céu estrelado. Apenas os guizos pendurados nas suas rédeas
tocam alegremente entre as estrelas cintilantes.

Ukpik , Siksik e Nanuq observam o Pai Natal afastar-se quando, de repente,
Nanuq grita horrorizado:

— Ora bolas! Esqueci-me de lhe dar a bússola!

Ukpik e Siksik fervem de raiva.
Eles olham furiosos para o pobre Nanuq que se encolheu todo.

— É preciso avisar o Pai Natal, — sugere Siksik.

E todos se põem a dar saltos e a fazer sinais, gritando:
— Pai Natal, volta! Pai Natal, está aqui a tua bússola!

O Pai Natal dá uma última olhadela para baixo e avista os seus amigos aos pinotes e fazendo de grandes movimentos circulares com as patas e as asas.

— Ho! Ho!... Olha só Tuktu, eles estão tão contentes e excitados como nós nesta bela noite de Natal!

As palavras difíceis

Floresta boreal: É uma floresta composta de coníferas e de bétulas das regiões mais ao norte da América do Norte.

Hibernação: é um estado que mergulha certos animais num sono muito prolongado durante algumas semanas mal a sua temperatura diminui, o que lhes permite conservar a sua energia durante o inverno, época em que os alimentos são menos abundantes.

Inuítes: Os Inuítes são um povo autóctone das regiões árticas da Sibéria e da América do Norte.

Inuktitut: A língua que os Inuítes falam.

Nanuq: urso polar em Inuktitut é um urso branco considerado como o maior carnívoro terrestre tal como o urso de Kodiak.

Nunavik: esta região situa-se no norte do Quebeque (Canadá), é composta de lagos, de tundra e de florestas boreais.

Ser vítima : estar atormentado por qualquer coisa.

Siksik significa: marmota em Inuktitut.

Síndroma: é um conjunto de sinais do comportamento do urso que revelam o estado no qual este se encontra fisicamente.

Tuktu: caribu em Inuktitut.

Tundra: planície das regiões árticas cobertas de líquen, de algumas gramíneas e de bétulas.

Ukpik: em língua Inuktitut significa: Coruja das neves que é uma coruja muito grande com penas brancas e que pode medir até 70 cm de comprimento.

Se quiseres escrever ao Pai Natal,
podes enviar-lhe a tua carta para a seguinte morada e
ele terá todo o prazer em te responder:

Pai Natal
Pólo Norte HOH OHO
Canadá

Próximos títulos:

- Mas para onde foi o Pai Natal? Volume 2
- Feliz Natal, Pai Natal! Volume 3

Made in the USA
Lexington, KY
05 November 2015